1

2

1914 146   Kl. Hafen

6

8 Motiv aus Hammamet 1914 48

Klee

1915. 48.

Einst dem Grau der Nacht enttaucht / Dann schwer und teuer / und stark vom Feuer /
Abends voll von Gott und gebeugt / Nun ätherlings vom Blau umschauert, / entschwebt
über Firnen, zu klugen Gestirnen.

1918 17.

Klee.

11

12

13

Der Gott des nördlichen Waldes

1922 / 32

18

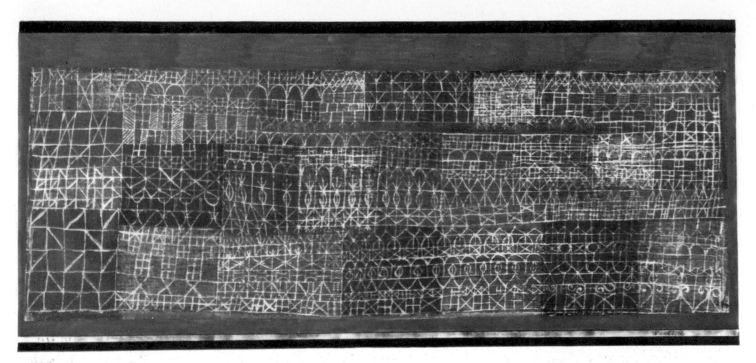

20

21

22

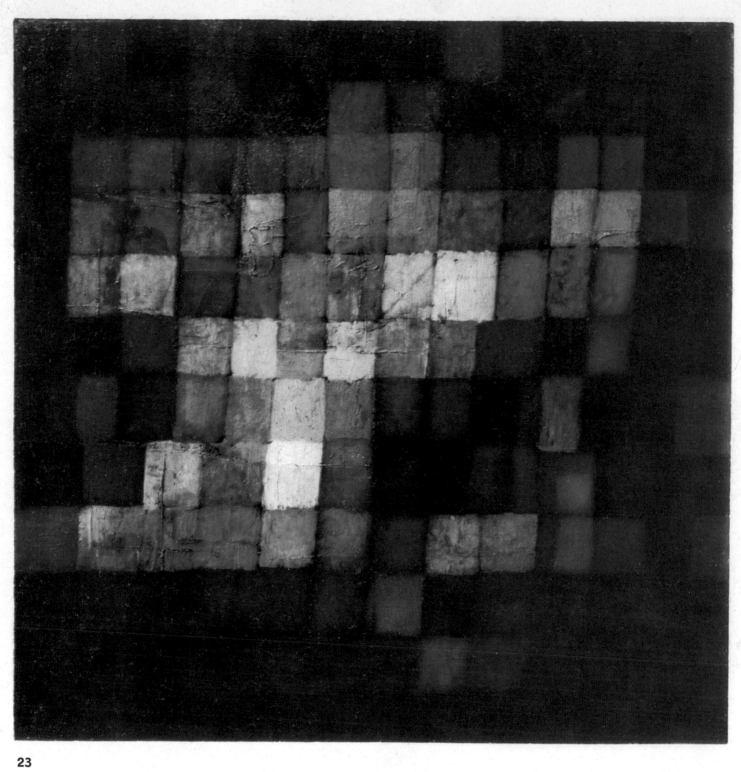

23

24

25

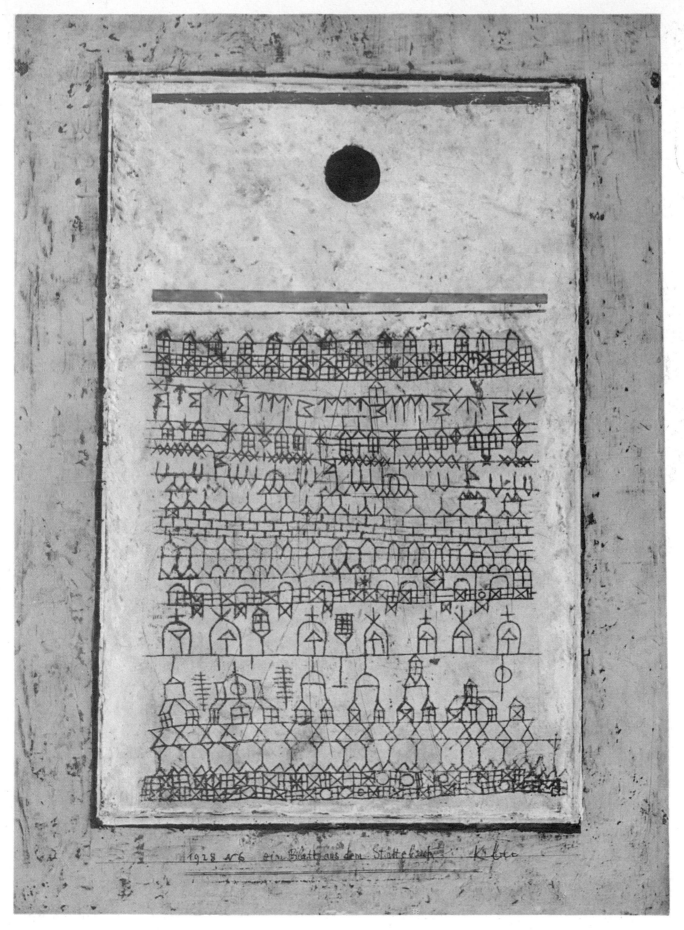

1928 N6 ein Blatt aus dem Städtebuch   Klee

29

30

31

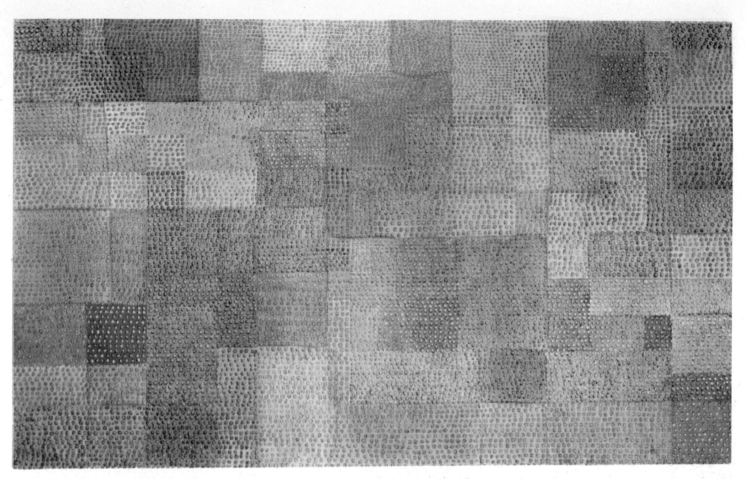

32

33

35

36

37

38

39

40

41

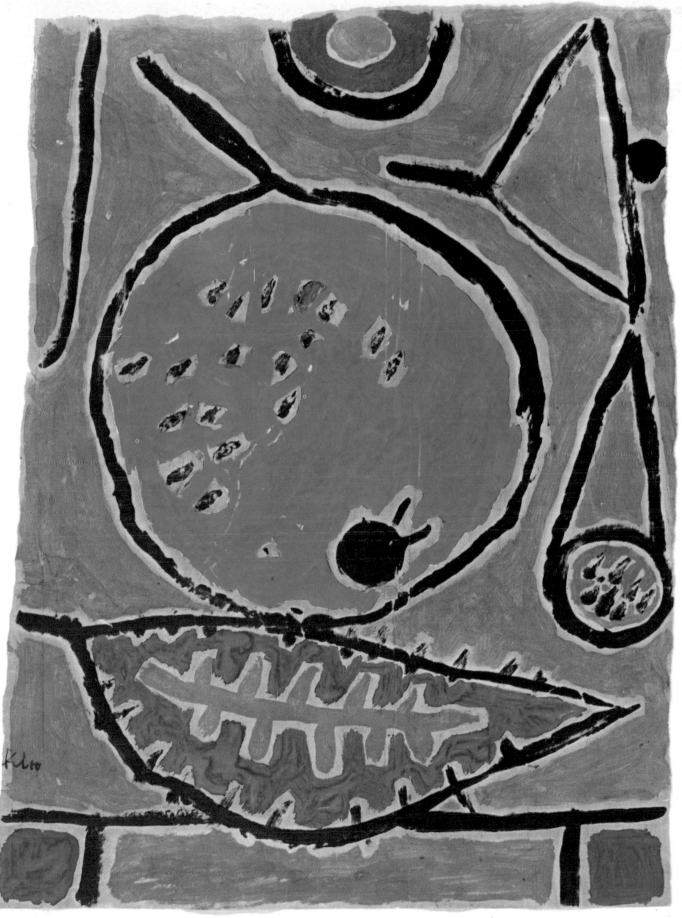

43

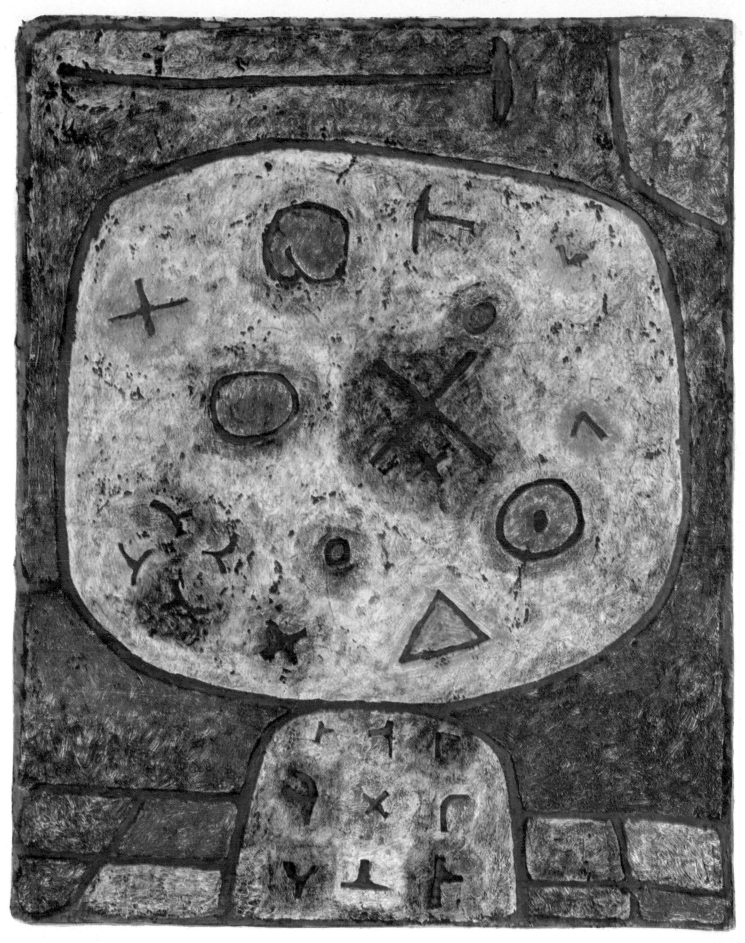

44

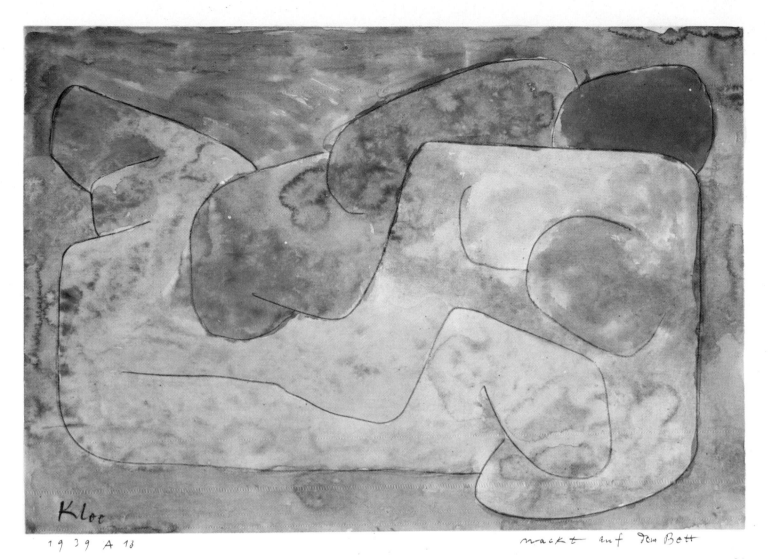

Klee

1939 A 18   nackt auf dem Bett

46

1940 R 7   Vorstadt-Abend

47

48

49

50